Para:

De:

Dirección de arte: Trini Vergara

Diseño: Renata Biernat

Colaboración editorial:
María Eugenia Díaz Cafferata y Enriqueta Naón Roca

© 2000, Vergara & Riba Editoras S.A.
Arenales 1239 PB 3 - C1061AAK Buenos Aires, Argentina
Tel/Fax (54-11) 4816-3791 / 4813-9745
e-mail: editoras@vergarariba.com.ar

ISBN: 987-9338-01-4

Co-edición realizada por Vergara & Riba Editoras S.A.,
Buenos Aires y RotoVision Crans S.A., Suiza.

Printed in Singapur

Agosto de 2000

Para una mujer muy ocupada

Edición de Lidia María Riba

Pinturas de Gail Wells-Hess

Vergara & Riba
Editoras

Una mujer muy ocupada

Todos los días millones de mujeres en
el mundo afrontan la vida con una energía
casi sobrenatural. Muchas, al amanecer,
despiertan a los niños para ir a la escuela y,
luego de llevarlos ellas mismas, se encargan
de la casa y compran o disponen todo lo
necesario para proveer a su familia.
Eficientes y dinámicas, es muy posible que
trabajen toda la jornada en distintos
ámbitos y que se dediquen, además,
a alguna tarea comunitaria.
Al regresar, las esperan en casa
los hijos y el seguimiento de sus estudios,
el final de los quehaceres cotidianos y
el tiempo compartido con su pareja...

Solteras, esposas, madres, amas de casa,
empleadas o empresarias, heroínas anónimas
de nuestra historia, parecen incluso olvidar
el cansancio porque todas están *tan ocupadas*.

Para cada una de ellas ha sido dedicado
este libro. Porque sabemos que tal vez se
sientan casi todopoderosas, ya que
han logrado su éxito después de recorrer
un arduo camino, pero su entrega
a los otros las hace olvidarse muchas
veces de sí mismas y, entonces, necesitan
de nuestro apoyo, de nuestra comprensión...
Porque, sin que pierdan esa maravillosa energía
que todos en silencio les agradecemos,
deseamos que incluyan -entre tantas obligaciones-
su propio espacio de paz y bienestar.

Todopoderosas

Las mujeres cargamos niños, pasiones, penas,
desengaños amorosos, bolsas de supermercado,
preocupaciones, miedos... Tenemos fuerzas que
asombran a muchos, aunque siempre nos hayan
llamado el sexo débil. Es que los músculos
femeninos, más que en el cuerpo, están
en el alma y en el corazón.
El poder de las mujeres reside en una
misteriosa fuerza interior, energía instintiva,
intuición práctica, inteligencia emocional,
deseo irrenunciable de alcanzar los sueños,
compromiso incondicional para defender la vida.

Es un poder único, original, transmitido
de generación en generación. Aunque sea difícil
de definir, nosotras sabemos de qué se trata.
Es el ilimitado, sorprendente, inagotable
potencial femenino... Y con eso está todo dicho.

$\mathcal{E}$res sabia, valiente y fuerte, plena de compasión y creatividad... Avanza con el fuego de la confianza y nunca permitas que se apague su llama incandescente.

Matilde Romero

Ser toda una mujer ya es toda una ocupación.

*N*unca serás ni tan joven ni tan vieja que no puedas grabar tu propia marca en tu propio tiempo. Jamás tendrás la edad equivocada para liberar esa fuerza que está dentro de ti, para crear la clase de vida que mereces.

Ana C. Marín

La primera que eligió estar muy ocupada fue Eva. ¿Por qué otro motivo, si no, hubiera mordido la manzana?

*L*os sueños son poderosos cuando creemos que pueden convertirse en realidad. Los sueños vacíos de contenido pertenecen al reino de la fantasía; los sueños de las líderes pertenecen al reino de lo posible.

Carla Vizzone

*L*a vida de una mujer puede ser realmente una sucesión de vidas, cada una girando alrededor de una situación emocional poderosa o un tremendo desafío y cada una, marcada por una experiencia muy intensa.

Wallis Simpson, duquesa de Windsor

¿*L*a carrera o el matrimonio? ¿El trabajo o los hijos? ¿Nosotras o los demás? Pero, ¿quién dijo que tenemos que elegir?

Carolina Armendáriz

*L*a intuición nunca descansa. Durante el sueño y en la vigilia recoge la información de tu inconsciente y de lo que te rodea. Cuando aprendas a prestarle atención habrás conseguido otro poderoso recurso interior.

Elena Quiroga

Si Dios fuera mujer, al séptimo día no hubiera descansado. El domingo, hubiera preparado una espléndida comida para agasajar a toda la Creación.

*E*l arte de lo infinito, ser un ama de casa, no es para improvisados.

Ana Sierra Cortez

Sé hacer de todo. Soy una madre.

Un largo camino...

En nuestro camino ancestral, las mujeres hemos
escuchado mensajes, mandatos. Cumpliendo
con ellos, muchas veces nos hemos desdibujado,
hemos ocultado pasiones y sueños... Abnegados
ejemplos de tías, madres, abuelas -y sus tatarabuelas-
nos han precedido en ese espejo.
Hoy sabemos que ellas también quisieron algo
más y que fueron quienes, imperceptiblemente,
poco a poco, iniciaron los cambios.
Nosotras recogimos el guante y continuamos.
Nos ha traído hasta aquí un largo sendero
empedrado de pasión; nos hemos hecho
expertas en dificultades. Sabemos que el premio
después del riesgo tal vez sea el éxito. Y que vale
la pena. Hoy ponemos alas a nuestros deseos,
los concretamos, cuidamos a los nuestros
y gozamos de lo que nos rodea.

Porque podemos, porque lo llevamos en la sangre
y nos atrevemos a todo.

*L*as decisiones son solamente el comienzo de algo. Cuando alguien toma una decisión, se zambulle en una poderosa corriente que lo lleva hasta un lugar que jamás hubiera soñado en el momento de decidirse.

Paulo Coelho

*L*a persona razonable se adapta al mundo; la irrazonable intenta adaptarlo a sí misma. Por lo tanto, el progreso depende de las personas irrazonables.

Bernard Shaw

*U*na es feliz como resultado de los propios esfuerzos. Por ejemplo, aprender cuáles son los ingredientes necesarios de la felicidad: gustos sencillos, un cierto grado de aceptación de la frustración, algún coraje, amor al trabajo y sobre todo, una conciencia tranquila.

George Sand

Una mujer verdaderamente exitosa es aquella que disfruta en plenitud su ocupación; ya sea administradora de su hogar o presidenta de una empresa multinacional.

*P*ies, ¿para qué os quiero si tengo alas para volar?

Frida Kalho

*S*ólo puede ser observadora en la vida quien no tiene valor para dar un paso al frente y atropellar con todo.

Niní Marshall

Y llegó el día en que el riesgo que representaba permanecer encerrada en el capullo era más doloroso que el riesgo de florecer.

Anaïs Nin

*L*as personas no son mejores porque trabajen mucho y bien. Trabajan mucho y bien porque son mejores.

Bette Milder

*C*uando te dejas arrastrar por tu energía y haces lo que deseas, la línea que separa el trabajo de la diversión se esfuma.

Sandra A. Güell

Por más pacífica que sea una mujer, en algún momento cae en la cuenta de que pasa gran parte de su vida librando pequeñas batallas.

*S*i te dan papel pautado,
escribe, por favor, del otro lado.

Juan Ramón Jiménez

La pasión para seguir adelante nace de los miedos que hemos dejado atrás.

Una mujer liberada es aquella que siente confianza en sí misma y que está feliz con lo que hace. Es una persona con gran sentido de la identidad. Todo se puede resumir en estas palabras: libertad de elección.

Betty Ford

Pero a veces...

Ya hemos dicho que somos todopoderosas. No es
que creemos que podemos hacerlo todo: realmente
podemos hacerlo todo. Pero, a veces, sobreexigirnos
tanto tiene un precio y nuestra fuerza se debilita.
No nos alcanza el tiempo para todo lo que queremos
hacer, algo no resulta como lo habíamos previsto,
alguien no reconoce nuestros esfuerzos...
En esos momentos, nos abruma la sensación cercana
del fracaso, no podemos recordar todo lo andado.
Esa fuerza que nos venía impulsando nos abandona.

Y está bien: es necesario recuperar energías.
No tenemos tantos brazos como la diosa Khali.
Escuchar los llamados de atención de nuestro cuerpo,
saber cuándo detenernos no significa ser débiles.
Luego del desasosiego, sobreviene la calma y se retoma
el camino perdido. No olvidemos que el instante
más oscuro de la noche es, justamente,
el momento previo al nuevo amanecer.

$\mathcal{E}$n mi lugar de trabajo he colocado un letrero que dice: "Respira". Cuando llegan esos momentos en que debo enfrentar malas noticias o cuando alguien me agrede -lo que sucede más a menudo de lo que desearía- hago varias respiraciones profundas.

Enriqueta Naón Roca

$\mathcal{F}$rente a los problemas podemos lamentarnos y no hacer nada o actuar. Pero siempre elegimos, aun inconscientemente. Si reconocemos que tenemos el control, elegiremos más sabiamente.

Marlene Fürstemberg

$\mathcal{E}$stoy a dieta de pensamientos negativos y realmente da resultado.

Louise L. Hay

$\mathcal{R}$ecuerda que tu tarea llega día a día y, ten por seguro que, así como Dios te llama a realizarla, también te da la fuerza para llevarla a cabo.

Celina Cabrera

$\mathcal{S}$omos mucho más capaces de lo que pensamos. Hay momentos en que la única manera de aprender es no tomar ninguna iniciativa, no hacer nada. Porque, incluso en los momentos de total inacción, nuestra parte secreta está trabajando y aprendiendo.

Khalil Gibrán

Si nunca te perdonas, ¿cómo podrás perdonar a otros?

*E*star en una crisis y actuar en consecuencia
es una cosa. Permanecer en un estado de
crisis perpetua, es otra.

Sonia Bruger

*P*edir ayuda no significa que seamos débiles
o incompetentes. Por lo general, indica un
avanzado nivel de honestidad e inteligencia.

Laura Cesare

A veces, un acontecimiento sin importancia
es capaz de transformar toda la belleza en
un momento de angustia. Insistimos en ver
una pequeña mancha frente a nuestros ojos y
olvidamos las montañas, los campos y los olivos.

Paulo Coelho

*S*i te sientes extenuada al final de un día de
trabajo, mira hacia adónde diriges tu energía.
Trata de determinar dónde y de qué forma
recibes mayor energía y dónde das más.
Es importante evitar que nuestra energía vaya
en una sola dirección.

Lori Giovannoni

*N*o es el desafío el que define quiénes somos ni qué podremos ser. Lo que nos define es cómo afrontamos ese desafío: incendiando las ruinas o construyendo un camino, a través de él, hacia la libertad.

Richard Bach

Aprender a delegar el trabajo apropiado en la persona indicada, es una capacidad necesaria que te permitirá trabajar mejor, con mayor eficacia y más rápido.

Nosotras y los otros

Nuestro ser está dividido por una línea invisible:
de un lado, nuestro propio yo y del otro,
los demás. Esos otros -hijos, padres, pareja,
amigos- merecen nuestro amor. Pero a veces,
la atención y el tiempo que les dedicamos
desbordan de su cauce, y hasta perdemos
la noción de los límites.
Las mujeres fuimos educadas para dar, servir,
ayudar, sostener. Y -sin duda- esa tarea nos agrada.
Nos emociona y enorgullece formar una familia
y verla crecer. Estamos allí, siempre, para todos:
amigos sufrientes, amantes que necesitan nuestra
comprensión, jefes exigentes, hijos demandantes.
En esta entrega fervorosa, desmedida, generosa,
guardemos algo para nosotras. Nuestros propios
sueños, opiniones y gustos. Y sobre todo,
el derecho a que alguna vez, los demás se ocupen
de nosotras como nosotras lo hacemos con ellos.

La energía no se pierde ni se gana, sólo se intercambia. ¿Qué recibes a cambio de tu energía?

*L*o mejor que las mujeres podemos hacer por nuestros hijos es estar enteras y vitales porque siempre somos modelo para ellos.

Silvia Solomonoff

Algunas mujeres vivimos ocupadas de todo, preocupadas por los demás y desocupadas de nosotras mismas.

*C*uando existe mucho amor siempre se producen milagros, y donde hay milagros hay alegría.

Willa Cather

$\mathcal{L}$a paciencia deja de ser una virtud cuando nos hace permitir a otros que pierdan nuestro tiempo.

Delfina Walker

Muchas veces la fuerza de una madre es superior a las fuerzas de la naturaleza.

*P*ara algunos, servir a otros puede parecerse al papel del subordinado y no del líder. Pero en realidad, un buen líder cree en dar servicio a otros.

Liliana Torres Onetto

¿*Q*ué quiere decir recibir?

... Recibir quiere decir prescindir de que nos agradezcan.

... Recibir quiere decir renunciar a tener el control.

... Recibir quiere decir aceptar que otros tienen dones para dar.

... Recibir quiere decir reconocer tu propio valor.

... Recibir quiere decir saber agradecer.

Lori Giovannoni

*No deberíamos renunciar a nuestros
momentos de soledad. Nunca más esforzarnos
por vivir al ritmo impuesto por los demás.*

Necesitas tu espacio. Necesitas tu tiempo.
Necesitas tu atención. Necesitas... ocuparte
de ti como si tú también fueras parte de tu
propia familia.

Agustina Navarro

Eternamente femeninas

Es fácil decir que nos queremos. Pero, ¿cómo nos lo demostramos? ¿Nos damos tiempo para entrar en contacto con nuestros deseos, con aquello que nuestro cuerpo precisa?

Siempre nos ha gustado ocuparnos de nuestra belleza, de nuestro aspecto exterior. Porque, convengamos en que ser un poco frívolas de vez en cuando nos hace bien y es muy divertido. La coquetería y la seducción han sido siempre características nuestras. Y a mucha honra. No seríamos justas con nosotras mismas si las olvidáramos por falta de tiempo. Cuidarnos y embellecernos nos reconforta física, emocional y espiritualmente. La consigna debería ser: ni esclavas de la moda ni del gimnasio, pero sí alertas a nuestro bienestar, en armonía con nuestro ser interior y con nuestra imagen, por siempre jóvenes y atractivas. Es decir, eternamente femeninas.

*S*i no encuentras el momento para cuidarte,
¿quién lo hará? Las empresas modernas
necesitan mujeres con mente ágil e ideas
originales, y con energía para juntarlas.

Patricia Juliá

¿*S*abías que se ha comprobado que una
caminata de diez minutos tiene un efecto
sedante mayor al de cualquier ansiolítico?

Dra. Cynthia Durrell

$\mathcal{E}$l carácter contribuye a la belleza,
nos fortifica cuando empieza a desvanecerse
nuestra juventud. La conducta, una actitud
valiente, la disciplina y la integridad pueden
hacer mucho para hacer bella a una mujer.

Jacqueline Bisset

No te obligues a hacer cosas que no quieras.
Practica, cada tanto, la palabra "no".

Receta para mantenerte joven y con un cutis impecable

- Genera un clima apacible en tu casa y en el trabajo.
- Sonríe.
- Disfruta la belleza de las personas y del mundo.
- No trates de complacer a todos.
- Expresa amor todos los días.
- Ríete a carcajadas.
- Disfruta los beneficios de un masaje.
- Elige ropa que te resulte cómoda y se amolde a tu personalidad.
- Anímate a lucir un detalle audaz.
- Estrena un nuevo corte de pelo.
- Por las dudas, no olvides jamás tu crema nutritiva.

Cada día trae consigo nuevos regalos. Sólo tienes que desatar los lazos que los envuelven.

$\mathcal{E}$l secreto para mantenerte joven es vivir honestamente, comer despacio y mentir acerca de tu edad.

Lucile Ball

Un tiempo para disfrutar

En ocasiones, nos dejamos llevar por la inercia
de días o semanas agitados. Nuestro ritmo
es tan arrollador que casi no advertimos
cómo sucede todo tan vertiginosamente.
Necesitamos detenernos pero, ¿cuándo hacer la
pausa y para qué? ¿Cómo ocuparnos de nosotras
mismas sin sentir que perdemos el tiempo?

Merecemos un descanso, recuperar el placer,
volver a estar al mando de "nuestro" tiempo,
divertirnos, gozar tanto de la compañía
como de la soledad. No siempre es necesario
recurrir a recetas complicadas, caras o exóticas
para vivir plenas y felices. A veces,
en las pequeñas cosas está el secreto para
preocuparnos menos por nuestras obligaciones
y ocuparnos más de nuestros sueños.
La clave está en saber detenernos y disfrutar.

$\mathcal{S}$i sonrío al nuevo día, feliz de estar viva, las experiencias que me aguardan me traerán felicidad. Cada una de ellas aportará algo necesario para mi plenitud.

Carole King

$\mathcal{E}$s verdad que no debemos dejar escapar las preciosas horas del día. Pero también es verdad que muchas de ellas lo son, precisamente, porque dejamos que se nos escapen.

Lydia Cohen

$\mathcal{V}$ivimos luchando por las cosas complicadas y nos olvidamos que mirar los campos es más que suficiente para comprender a Dios.

Khalil Gibrán

La satisfacción es una elección; la insatisfacción, un hábito.

$\mathcal{P}$uedes correr, caminar, tropezar, conducir o volar, pero no pierdas de vista el objetivo de este viaje, ni dejes escapar la oportunidad de ver el arcoiris en el camino.

Antonia Janckenko

El buen humor es un tónico para la mente y el cuerpo. El mejor antídoto contra la ansiedad y la depresión. Es muy conveniente para los negocios. Atrae y retiene a los amigos. Aligera las cargas humanas y es el camino hacia la serenidad y el bienestar.

*I*lumina tu mañana con tu hoy.

Elzabeth Barrett Browning

*E*star sola es estar bien contigo misma,
lujosamente sola, inmersa en actividades
de tu propia elección, apreciando tu presencia
más que la ausencia de otros. Porque la
soledad, es un logro personal.

Gloria Michelet

*Bucea en tu interior y encuentra ese tesoro que
lleva tu nombre.*

*A*prende a permanecer quieta en medio de la agitación y a vibrar de vitalidad en el reposo.

Indira Gandhi

Haz que en tu vida reine la alegría. Rodéate de la música que te levanta el ánimo. Devora libros que entibien a tu corazón. Baila. Canta. Ama. Comparte. Da y permite que otros te den a ti. La alegría es una belleza emocional que puedes vestir cuando quieras y donde vayas.

*D*eberías crear un espacio en tu vida que te permita desarrollar tu sabiduría, tu creatividad, tu visión y tu coraje. Porque tú misma eres el recurso más poderoso del que dispones.

Esther M. Carreras

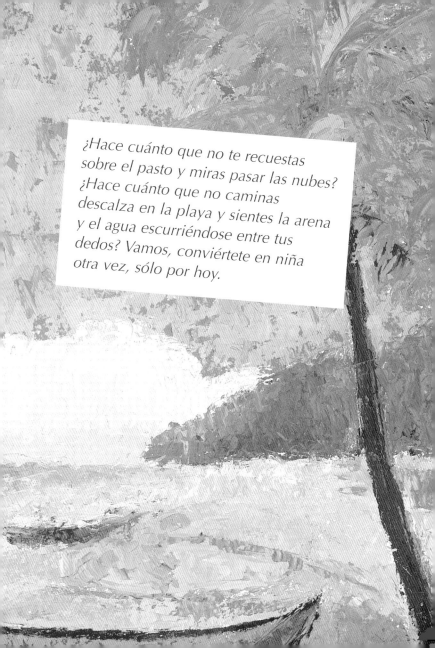

¿Hace cuánto que no te recuestas sobre el pasto y miras pasar las nubes? ¿Hace cuánto que no caminas descalza en la playa y sientes la arena y el agua escurriéndose entre tus dedos? Vamos, conviértete en niña otra vez, sólo por hoy.

Obras reproducidas

Pág. 6-8   *Provincetown*

Pág. 10   *Mañana de Chicago*

Pág. 13   *La casa de la tía Sue*

Pág. 15   *Camino a Homer*

Pág. 17   *Hotel del Sol*

Pág. 19   *La granja*

Pág. 20   *San Basilio*

Pág. 23   *Detrás del muro del fuerte*

Pág. 24   *Islas San Juan*

Pág. 26   *Bandorf*

Pág. 29   *Playa de Belice*

Pág. 31   *Calle de la luna*

Pág. 33   *Cerezos en flor*

Pág. 34   *Puerta francesa*

Pág. 36   *Entrega especial*

Pág. 39   *Puente Julien al sol*

Pág. 40   *Bonnieux*

Pág. 41   *Árbol de otoño*

Pág. 43   *Barca de pesca*

Otros libros
para regalar

Te regalo una alegría
Un regalo para el alma
Nunca te rindas
Confía en ti
Todo es posible
Por nuestra gran amistad
La maravilla de la amistad
Seamos siempre amigas
Para una gran mujer
Un regalo para mi madre
Un regalo para mi padre
Para un hombre de éxito
Un regalo para mi hija

Un regalo para mi hijo
De parte de papá y mamá
A mi hermana
Con el cariño de la abuela
Dios te conoce
Tu Primera Comunión
La maravilla de los bebés
Poemas para enamorar
Nacimos para estar juntos
Gracias por tu amor
Ámame siempre
Vocación de curar

Colección "Lo mejor de los mejores"

Paulo Coelho: Palabras esenciales
Richard Bach: Mensajes para siempre
Pablo Neruda: Regalo de un Poeta
Un brindis por la vida